ANITA KA À L'ÉCOLE DES ESPIONS

3, rue Bayard, 75008 Paris

Dépôt légal : avril 2005
Loi 49 956 du 16 juillet 1949 sur les publications destinées à la jeunesse

Imprimé en France par Oberthur Graphique, 35000 Rennes

1- L'examen d'entrée

– Monsieur Cassant, l'affaire est résolue !

– Déjà, Anita ? Mais vous ne travaillez dessus que depuis une semaine !

La jeune fille soupira :

– J'ai suivi le suspect dans tous ses déplacements. Monsieur Cassant, votre chien se sauve de votre jardin tous les matins, et il passe son temps avec une mignonne petite cocker nommée Cookie !

– Sacré Toby ! rigola Raymond Cassant.

Le grand patron de l'ASTRE, un des services secrets les plus renommés d'Europe, fixait sa dernière recrue avec un air amusé. Anita Ka, âgée d'à peine dix-huit ans, avait prouvé ses talents d'espionne lors d'une

précédente enquête pleine de dangers (1). Mais, depuis cette mission, il ne lui avait confié que des affaires sans grand intérêt. Et la jeune fille commençait à en avoir assez :

– Je me demande bien pourquoi vous m'avez engagée ! Quand allez-vous me confier des missions dignes d'un vrai agent secret? En entrant à l'ASTRE, je rêvais d'aventures. Résultat : je...

Raymond Cassant coupa la parole à la jeune espionne :

– Agent Ka ! Vous êtes pleine de fougue, mais cela ne suffit pas pour durer dans ce métier. Vous devez parfaire votre formation. C'est pourquoi je vous ai inscrite à l'UCIFER.

(1) Voir *Anita Ka contre docteur Z*, dans la même collection

– Lucifer ?
– L'Unité Clandestine Internationale de Formation à l'Espionnage et au Renseignement. « L'école des espions ». Un établissement d'élite, où les agents secrets de nos services reçoivent une formation intensive. Seuls les meilleurs éléments y sont acceptés !
– Génial ! s'exclama la jeune espionne. Quand est-ce que je commence ?
– Dans une heure ! Pour des raisons de confidentialité, les élèves sont prévenus au dernier moment. Tout ce dont vous avez besoin se trouve déjà là-bas. Il ne reste qu'une petite formalité.
– Laquelle ?
– Réussir l'examen d'entrée ! C'est une épreuve à votre portée, je crois : il vous faut trouver le lieu de l'école. Vous vous en doutez, l'UCIFER est un établissement très discret. Vous ne trouverez pas son adresse dans l'annuaire. Mais quelques informations peuvent vous aider à trouver où il se cache.

Pour avoir accès à ces informations, tourne la page.

Voici le
bâtiment vu
d'en haut

Accès possible :
Par hélicoptère
Par bateau

Indice 1 : Quand le vent
vient du nord-ouest,
on sent l'odeur provenant
de l'usine de biscuits.

Indice 2 : Une entrée secrète
permet d'y accéder
depuis le cinéma voisin.

A toi de trouver
lequel des bâtiments visibles
depuis cette fenêtre
abrite l'UCIFER.

Tourne la page
pour connaître la solution.

CINÉ
HUILES Z
CINÉ
ER PRIFOU
BISCUITERIE
SOBECA
CINÉ
BUREAUX À LOUER
CINÉ MAX
TRANSPORTS ROULVIT'
HALL 1
1
1

Appuyée contre la baie vitrée, Anita Ka observait la ville depuis plusieurs minutes. Soudain, elle s'exclama :
– Je l'ai trouvé !
– Vraiment ? fit Cassant
– Facile ! La photo aérienne du bâtiment peut correspondre à dix immeubles de la ville. Il faut trouver celui qui possède à la fois une piste d'atterrissage pour hélicoptère et un accès au fleuve, qui se trouve près d'un cinéma et au sud-est de l'usine de biscuits : c'est l'immeuble collé au cinéma, avec le panneau « Bureaux à louer ».
– Bravo, Anita. Vous pouvez y aller !

Anita se prépara en hâte et passa dire au revoir à sa tante Josette, la secrétaire de l'ASTRE.
– Tatie ! Devine quoi ! Je vais à l'école des espions !
– Je sais, ma poulette, c'est moi qui ai rempli ton formulaire d'inscription. Tu as intérêt à être à la hauteur !
Tout en embrassant sa nièce, Josette glissa un paquet de biscuits dans sa poche.
– Prends ça ! Tu en auras sûrement besoin, là-bas.

2- Les apprentis espions

Il n'avait fallu que quelques jours à Anita pour se sentir comme chez à elle à l'UCIFER. Évidemment, cette école n'avait rien à voir avec celles que la jeune espionne avait fréquentées jusqu'alors. Filature, camouflage, tir de précision : les matières ressemblaient plus à des jeux qu'à un ennuyeux travail scolaire. Et les autres élèves, de jeunes apprentis agents comme elle, venaient de toute l'Europe : leur diversité donnait aux cours une ambiance joyeuse et contrastée.

En se rendant au dernier cours de la semaine, Anita discutait avec Helke Kreher, une Allemande délurée

avec qui elle avait immédiatement sympathisé :
– Helke, je me demande à quoi nous allons avoir droit, cette fois-ci. Sur l'emploi du temps, c'est écrit « cryptographie avec le Dr Carlo Dellaporta ». Un médecin ? C'est quoi, la cryptochose ?
– La science des codes secrets. Et le « dottore » Dellaporta n'est pas docteur en médecine, mais en langues. C'est un des plus grands spécialistes mondiaux du sujet.
La salle de cours était déjà presque pleine. Anita et son amie s'assirent à la dernière table libre, tout au fond. Juste devant elle, Anita remarqua Chris Boyle, un colosse anglais aux cheveux roux et aux manières assez brutales.

– Oh là là ! Il mesure au moins deux mètres, soupira-t-elle. Je ne vais rien voir au tableau !
Le voisin du rouquin, un Espagnol nommé Ramón Chavez, proposa à Anita :
– Tu veux changer avec moi ? Je préfère être... euh... au calme.

Anita et Ramón échangeaient leurs places lorsque le professeur fit son entrée.
Le dottore Dellaporta n'avait pas l'air bien impressionnant. Les cheveux en bataille, un T-shirt douteux sur son jean délavé : il ressemblait plus à un étudiant que la plupart de ses élèves. Mais il n'eut pas de mal à gagner le respect de son auditoire en quelques phrases. Visiblement, il connaissait son sujet.

– Un bon code secret doit être simple... et inviolable. Déchiffrer les messages les plus complexes nécessite parfois de puissants ordinateurs. Mais, pour certains codes, le bon sens suffit. Allora... Je vais commencer par un exercice facile afin de vous tester !
L'Italien passa entre les rangs et distribua à chacun

un imprimé. Anita s'apprêtait à saisir le sien quand le professeur trébucha sur le porte-documents de Chris. Il lâcha ses feuilles, et s'étala de tout son long.

Tandis que Helke aidait le prof à se relever, Anita ramassa les feuilles éparpillées sous les tables. Elle en garda une et passa les autres à ses voisins. Dellaporta annonça en regardant sa montre :
– Bene ! L'exercice peut commencer ! Vous avez dix minutes pour déchiffrer ce message...
Anita parcourut le message. En effet, l'exercice semblait assez simple. Le code lui-même était impénétrable, mais les premiers mots avaient déjà été déchiffrés.
« En utilisant les lettres décodées, je devrais pouvoir deviner le reste ! » se dit la jeune fille.

Sauras-tu résoudre ce premier exercice avec Anita ?

AGENT FOG-D

VOICI LES INSTRUCTIONS

Il ne fallut pas longtemps à Anita pour déchiffrer la partie manquante du message. Elle relut les mots inscrits sur sa feuille :
« AGENT FOG-D
VOICI LES INSTRUCTIONS VEILLEZ À CE QUE PERSONNE À L'UCIFER NE DECOUVRE VOTRE MISSION.
ATTENDEZ NOS ORDRES SUIVANTS POUR AGIR.
FOG-A »
Un rapide coup d'œil vers son voisin lui apprit qu'il avait également terminé.
– Trop facile, hein, Chris ?
– Grmbl... Pas tant que ça. J'ai mis un moment à déchiffrer le mot « saucisse », grogna le colosse.
– Saucisse ? Mais je n'ai pas cela sur... Attends, tu as eu le même message que moi ?
Helke, qui avait entendu leur conversation, tendit le cou pour lorgner sur la table d'Anita.
– Bien sûr, on a tous eu le même. Pas toi ? Fais voir !
Anita se rendit soudain compte que le message qu'elle avait décodé n'aurait jamais dû tomber entre ses mains. Ce n'était pas un exercice, mais un véritable message codé, destiné à un authentique espion !

3- Menace dans la nuit

Le cours venait de se terminer. Anita se fraya un passage à travers le flot des élèves. Elle tendit l'étrange message à Carlo Dellaporta.

– Professeur Dellaporta...

– « Dottore », mademoiselle, j'y tiens ! Que voulez-vous ?

– Vous rendre ceci. C'est bien à vous ?

L'homme examina le texte codé. Derrière ses lunettes, ses yeux allaient et venaient à une vitesse phénoménale. D'un air grave, il demanda à Anita :

– Où avez-vous trouvé ça ?

– Par terre, en ramassant les papiers du test. J'ai cru que c'était à vous...

– Mamma mia ! Pas du tout ! Vous avez bien fait de me l'apporter.
Le professeur considéra son élève avec une pointe de surprise.
– Vous l'avez déchiffré ? demanda-t-il.
Anita acquiesca.
– Bravo ! Il est possible que vous soyez tombée sur un secret de première importance. Je vais remettre ce document à la directrice de l'UCIFER. Et je vous conseille de n'en parler à personne jusqu'à ce qu'elle vous convoque.

Anita sortit de la salle, le cœur battant. Ainsi, elle avait vu juste : il s'agissait bien d'une véritable affaire d'espionnage, au sein même de l'école des agents secrets ! Qui pouvait bien être ce « Fog-D » ?
Les couloirs de l'immeuble étaient déserts. À la sortie du cours, tous les élèves s'étaient rendus à la salle à manger pour le repas du soir.
Anita se sentait un peu inquiète : le poids de son secret lui pesait. Pourvu que Mme Richelieu, la directrice, prenne rapidement l'enquête en main ! Anita alla acheter un sandwich au distributeur automatique. Elle voulait passer la soirée seule dans sa chambre.

Après avoir englouti son sandwich en quelques bouchées, Anita regretta de ne pas avoir pris également un dessert.
– Bon, c'est le moment d'ouvrir le paquet de biscuits de Tatie Josette !
La jeune espionne déchira l'emballage. À sa grande surprise, la boîte ne contenait pas de biscuits, mais un petit appareil ressemblant à un baladeur et une poignée de pastilles autocollantes.

– Des mini-micros, et un écouteur radio ! Génial ! Voilà qui me sera utile !
Anita s'apprêtait à essayer son nouveau gadget lorsqu'elle entendit un cliquetis métallique. Quelqu'un était en train de crocheter sa serrure ! On devait la croire en train de dîner. Elle faillit ouvrir la porte brusquement, mais se ravisa. Elle éteignit la lampe et se glissa sous son lit afin d'épier son visiteur.

La serrure céda bientôt. La lueur d'une lampe-torche éclaira le sol. De son poste d'observation, Anita ne pouvait voir que les pieds de la personne qui venait d'entrer – des pieds chaussés de baskets, et le bas d'un blue-jean.
Le visiteur se dirigea droit vers la bouteille de soda posée sur la table de chevet. Anita entendit le bruit du bouchon qu'on dévissait, puis le « ploc-ploc » de gouttes versées dans la bouteille.
– On cherche à m'empoisonner ! se dit-elle avec angoisse.

Il fallait agir. Mais comment ? D'un geste rapide,

Anita colla derrière la basket gauche du cambrioleur un des mini-micros adhésifs de Tante Josette. Elle n'avait plus qu'à attendre qu'il sorte pour l'espionner en toute discrétion !
Tout en écoutant les bruits transmis par le micro collé à la basket de son visiteur, Anita commença à prendre des notes. Au bout de quelques minutes, tout bruit cessa. Sa proie était-elle arrivée à destination ?

Pour suivre la piste du mystérieux visiteur, tourne la page.

Reconstitue le trajet parcouru par l'adversaire d'Anita en t'aidant des notes et du plan.
- porte de ma chambre
- bruits d'aspirateur au loin
- porte
- conversations
- coups de feu
- cris en anglais
- porte
- bruits de vaisselle, conversations
- porte
- aspirateur au loin
- porte
- silence
- porte
- cliquetis
- porte
- conversation en anglais
- porte
- cris, bagarre
- porte
- aspirateur
- porte
- eau qui coule
- plus rien

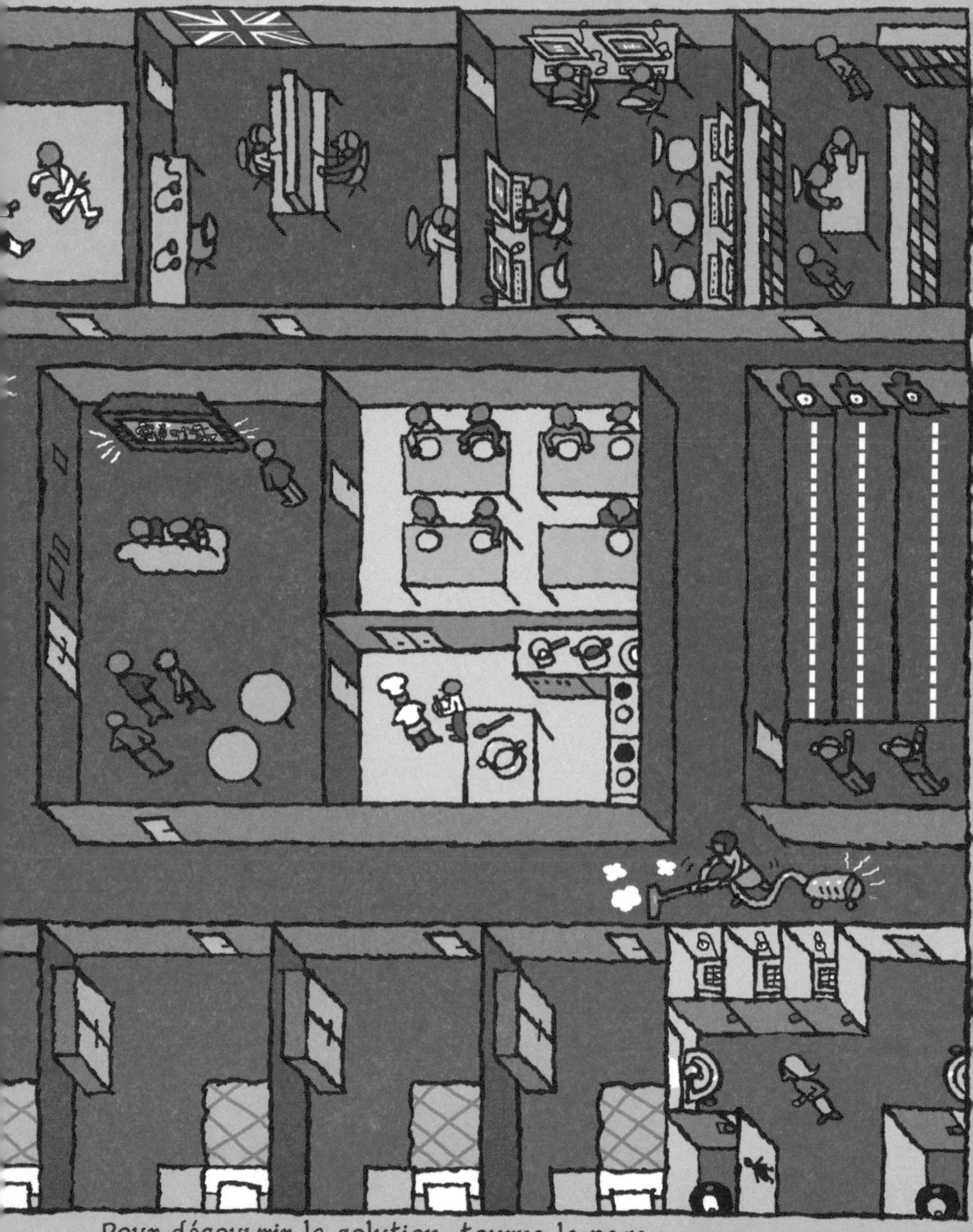

Pour découvrir la solution, tourne la page.

Anita sortit de sa chambre. Elle suivit les bruits à la trace, tout en notant sur sa liste les lieux traversés.

- porte de ma chambre
- bruits d'aspirateur au loin → COULOIR
- porte
- conversations → FOYER
- coups de feu → WESTERN À LA TÉLÉ
- cris en anglais → TÉLÉ
- porte
- bruits de vaisselle, conversations → SALLE À MANGER
- porte
- aspirateur au loin → COULOIR
- porte
- silence → BIBLIOTHÈQUE
- porte
- cliquetis → SALLE INFORMATIQUE
- porte
- conversation en anglais → LABO DE LANGUES
- porte
- cris, bagarre → SALLE D'ARTS MARTIAUX
- porte
- aspirateur → COULOIR
- porte
- eau qui coule → TOILETTES POUR HOMMES
- plus rien

Son mystérieux visiteur s'était donc arrêté... dans les toilettes pour hommes. Qu'y faisait-il donc depuis un quart d'heure ? Anita décida de pousser la porte, prête à tout.

4- Alerte au virus

Hélène Richelieu ne décolérait pas :
– Mais enfin ! Pourquoi ne m'avez-vous pas prévenue immédiatement de cette affaire ?
Anita Ka aurait voulu disparaître sous un des imposants fauteuils de cuir qui occupaient le bureau de la directrice de l'UCIFER. Mais elle restait debout, se tortillant à côté de Carlo Dellaporta, qui n'en menait pas large.
– Je voulais aborder le sujet ce matin, à la réunion des professeurs, bredouilla Dellaporta. Je n'imaginais pas que les événements d'hier soir...

Hélène Richelieu, une femme à l'allure sévère et au

regard pétillant d'intelligence, agita le message codé sous le nez du professeur de cryptographie :
– Ce document est pourtant clair ! Il y a au sein de notre établissement un espion à la solde d'un service ennemi. Il a essayé d'empoisonner Mlle Ka et vous-même. Sans la vigilance de notre jeune élève, vous auriez mangé les lasagnes contaminées qui ont été découvertes dans votre chambre !

Anita se remémora les événements de la veille. Lorsqu'elle avait fait irruption dans les toilettes pour hommes, elle avait eu la mauvaise surprise d'y découvrir son micro, posé sur le lavabo. Son ennemi avait dû le repérer et le décoller ! Elle avait ainsi perdu une occasion unique de découvrir son identité. Anita avait alors alerté la directrice, juste à temps pour qu'on puisse prévenir Dellaporta. Une rapide enquête montra qu'un paquet de lasagnes déposé dans son réfrigérateur avait été contaminé ! Tout comme le soda d'Anita, il aurait pu lui transmettre une maladie rare et terrible : la rhinite suédoise – un méga-rhume, capable de les clouer au lit pendant des semaines et de transformer leur cerveau en éponge visqueuse !

Hélène Richelieu tira Anita de ses pensées :

– L'espion se sait découvert, il a sûrement demandé des instructions à ses supérieurs. J'ai donc fait couper toutes les communications de l'école vers l'extérieur. Et tous les occupants de cet immeuble sont à présent interdits de sortie. Jusqu'à nouvel ordre, je vous prie de ne parler de ceci à personne, et de ne prendre aucune initiative. Compris ?

– Oui, madame ! répondirent d'une seule voix Anita et son professeur.

L'ambiance de l'école changea rapidement. Les mesures prises par Hélène Richelieu avaient été présentées comme un exercice de sécurité, et les élèves semblaient s'amuser comme des petits fous à cet étrange jeu. Plusieurs jours passèrent sans aucun événement remarquable, jusqu'au cours de décodage informatique du jeudi suivant.

Anita essayait de programmer un code pour gagner automatiquement à Bomb Raider 7, sous l'œil scandalisé de sa voisine Helke, lorsqu'un cri retentit :
– L'ordinateur central a été attaqué !

Le professeur Dellaporta, très absorbé par une partie de Tetras depuis le début du cours, sursauta :
– Ma... que se passe-t-il ?
Chris Boyle venait de se lever. Il montrait l'écran de son ordinateur, sur lequel clignotait un message d'alerte : « Quelqu'un a saboté notre système ! Je tentais de me connecter pour réserver une cassette vidéo quand tout a disparu ! »
– Zut ! On ne pourra plus faire de jeux en réseau ! lança Ramón Chavez, assis un rang plus loin.

Hélène Richelieu arriva aussitôt sur les lieux. Le professeur Dellaporta ne tarda pas à confirmer :
– C'est un virus. On dirait qu'il a effacé tous les fichiers de l'école !
– Encore un virus ! s'exclama la directrice. On dirait que notre mystérieux ennemi a de nouveau frappé. Mais comment donc reçoit-il ses ordres ? Notre bouclage de l'école n'est-il pas efficace ?

Pour résoudre ce nouveau mystère, tourne la page.

LES INSTRUCTIONS SECRÈTES

Aucun appel téléphonique
n'arrive à l'école.
Personne ne peut entrer
dans l'établissement
ni en sortir.
Alors, comment les ordres
parviennent-ils juqu'au traître ?

En regardant attentivement
la rue à travers la baie vitrée,
Aide Anita à découvrir
comment le traître reçoit
ses consignes, et quelles sont
ses prochaines instructions.

PARTEZ AU MEXIQUE
BUVEZ
COLA
BURP
GDLI
KPO
RMA
CINEMA
LUX
OPTICIEN
à
l'étage
ZU
RTP
XPAL
NO
LNT
PRESSE
PAS de PITIÉ POUR les NAVETS
PHARMACIE
LOTO: 37·72·59·98·2·0
HYCOPAK
multispire
KK
MOV
STOP
GRIP
E-COLI
elle
LIT
LN
RICHES
lieux
J.P SANTINO
bons travaux
bâtiment. traiteur
avocat

Anita fit un saut si brusque que son épaule percuta le menton du professeur Dellaporta.
– Aiuto !
– Oh ! Pardon, dottore. Mais je crois avoir deviné comment l'espion ennemi reçoit ses ordres.
– Vraiment ? demanda Hélène Richelieu.
– Oui ! Regardez les couvertures des magazines affichés sur la boutique de journaux.
– Je ne vois rien d'extraordinaire, fit Dellaporta. Nous ne recevons aucune de ces revues, d'ailleurs la distribution du courrier a été interrompue.
– Je sais, répliqua Anita. Mais lisez leurs titres à haute voix !
– Elle, Lit, Minet, LN, Riches, Lieux..., déchiffra la directrice. Cela fait... « Éliminez Hélène Richelieu » !
– À votre place, je redoublerais de vigilance ! lui conseilla l'apprentie espionne.

5- Dangereux déménagements

Installée dans un des fauteuils élimés du foyer des élèves, Anita regardait une cassette vidéo de son film favori, *Enquête au manoir*, quand sa copine Helke vint la retrouver, un café à la main :
– Tu connais la nouvelle ? La directrice déménage ! Depuis cette affaire de piratage, elle a l'air complètement tourneboulée. Je voulais la voir, et, quand je suis entrée dans son bureau, j'ai trouvé la pièce vide.
– Je sais, fit Anita. Je l'ai aidée à faire ses cartons avec le professeur Dellaporta.
– Vraiment ? Pourquoi ?
– Elle ne fait plus confiance qu'à...
Anita s'interrompit, consciente qu'elle en avait déjà

beaucoup trop dit. Elle hésitait à en dire plus quand Chris Boyle et Ramón Chavez entrèrent dans la pièce. L'Espagnol était en sueur.

– Pff ! C'est la dernière fois que j'accepte de donner un coup de main à la directrice !

– Ces cartons étaient trop lourds pour toi, mauviette ! se moqua l'Anglais. Tu aurais dû me laisser les porter.

– Et ils étaient mal faits, en plus. J'en ai transporté un qui était ouvert, et il a failli se vider avant que j'arrive à destination.

Anita dressa l'oreille. Laissant Helke seule sur le

canapé, elle s'élança vers le nouveau bureau d'Hélène Richelieu.

– Madame Richelieu ! Vous n'êtes pas en sécurité ! Quittez cette pièce.
La directrice tourna vers Anita un regard courroucé :
– Anita ! J'apprécie beaucoup ton aide. Mais garde ton calme. J'ai choisi cette pièce justement pour sa sécurité. Elle est équipée d'une porte blindée et possède une issue de secours. Je ne risque rien ici.
– Je crois que si. Une de vos caisses a été ouverte. Je pense que notre ennemi a glissé quelque chose dedans avant le déménagement... Peut-être une bombe camouflée !
– Vraiment ? fit Hélène Richelieu. Hélas, j'ai déjà vidé toutes mes caisses. Impossible de savoir ce qu'il y avait dans celle qui était ouverte !
– À moins que... Possédez-vous une photo récente de votre ancien bureau ?

Tourne la page pour partir à la recherche de l'objet piégé.

LE BUREAU PIÉGÉ

Anita observait la photo tendue par sa directrice.
– Elle date du début de la semaine, dit celle-ci. Elle a été prise pour illustrer un article de La gazette du renseignement. Rien n'a changé dans mon bureau depuis cette photo.

Anita s'écria :
– Il ne nous reste plus qu'à comparer ce qui figure sur cette photo au contenu de votre nouveau bureau pour trouver l'objet qui a été ajouté par notre ennemi !

Aide Anita à identifier cet objet !

– Sur le bureau ! La calculatrice !
Hélène Richelieu se tourna vers la grosse calculette électronique posée à côté de l'ordinateaur. Elle réfléchit quelques secondes et acquiesça :
– Tu as raison, Anita ! Je n'avais pas cet objet avant le déménagement. Tu crois qu'il pourrait être piégé ? N'y touche surtout pas !
La directrice de l'UCIFER examina la calculatrice.
– Tu ne t'es pas trompée ! Regarde l'écran.
Anita se pencha sur l'engin. Des chiffres défilaient sur l'écran : un compte à rebours, bien trop rapide à son goût !
Il ne leur restait plus que 255 secondes pour agir.

6- La machine infernale

– Il faut nous débarrasser de cet engin avant qu'il n'explose ! cria Anita.
– Impossible, répliqua calmement Hélène Richelieu. Nous sommes en pleine ville, il provoquerait une catastrophe. Le plus sûr est de refermer la porte blindée de mon bureau et de le laisser exploser ici. Je vais faire évacuer l'immeuble.
– Mais il reste... euh... 3 minutes 50. C'est trop court ! Tentons de le désamorcer. Laissez-moi brancher mon ordinateur portable à cet engin ! Il y a sûrement un code qui permet de l'arrêter.
– OK, mais, à une minute de la fin, tu files !

230 SECONDES POUR VIVRE

Il ne fallut que quelques secondes à Anita pour afficher sur l'écran de son ordinateur une liste de codes informatiques permettant de désamorcer la bombe. Mais un seul était le bon : lequel ? En quelques clics de souris, Anita déchiffra le programme de la bombe électronique. Elle nota plusieurs éléments qui définissaient le bon code. Mais aurait-elle le temps de faire le tri ?

En t'aidant des indices notés par Anita, essaie comme elle de trouver le bon code dans la liste inscrite sur l'écran, en moins de quatre minutes !

Tourne la page pour découvrir la solution.

le code contient 8 caractères
le code ne contient pas de 9
le code contient 2 fois le même chiffre
le code contient un 1
le code ne contient pas de voyelle
BLES
31D57
418C
3C8371

« Voyons, se dit Anita. Procédons par ordre.
19BB3614 contient un 9.
88A542451 contient une voyelle.
6201BD93 contient un 9.
113BA55D82 contient une voyelle.
34B8463 contient sept caractères.
68CB1542 ne contient pas deux fois le même chiffre.
85C9D831 contient un 9.
569C2394BC contient 10 caractères et deux 9.
311C n'a que 4 caractères.
428B1D57 ne contient pas deux fois le même chiffre.
BD8418C contient sept caractères.

Il ne reste plus que 57BC 8371 : c'est le bon code ! »

Anita jeta un coup d'œil sur l'écran de la calculette : 10 secondes ! Elle composa le code en hâte, retint son souffle… et vit s'afficher le message suivant : « Compte à rebours interrompu. Explosion annulée. »
– YEAH ! cria la jeune fille avec soulagement.

7- Le traître démasqué

Hélène Richelieu, un tournevis à la main, examinait la capsule en verre qu'elle venait de retirer délicatement de la calculatrice piégée.

– On dirait le produit qui avait été versé dans votre soda. C'était une bombe à microbes ! Sans toi, Anita, toute l'école se serait retrouvée au lit avec une grippe carabinée. Nous aurions pris un retard considérable sur le programme ! Nous avons affaire à un professionnel, qui veut la perte de cette école. Il est sûrement envoyé par une école rivale de la nôtre.

Anita réfléchit un instant.

– Il a effacé tous les dossiers des élèves et du personnel dans l'ordinateur central. Sûrement parce qu'il

craignait qu'un indice nous permette de le découvrir !
– Des indices ? Je ne vois pas, répondit Hélène Richelieux. Il a effacé les comptes, les résultats d'examens, les fiches des élèves et des professeurs...
– Mais oui ! s'exclama Anita. C'est cela : les dossiers des élèves ! Il y avait sûrement là-dedans de quoi retrouver le coupable.
La directrice sourit. Elle tira une petite clé de sa poche et ouvrit le tiroir de son armoire métallique.
– Heureusement, je garde toujours une copie de ces dossiers. Au travail !

Le classeur contenait des centaines de dossiers.
– Par où commencer ? soupira Anita. On ne sait même pas ce qu'on cherche ! Bon. D'abord, il faut présélectionner les suspects possibles : les personnes qui

étaient à côté de moi quand j'ai trouvé le message codé. J'en vois trois : Helke Kreher, Chris Boyle et Ramón Chavez. Tous étaient présents à chaque fois que le traître a agi !
– Bien raisonné, approuva Mme Richelieu. Je te mets 15.
– Pourquoi pas 20 ?
– Parce que tu oublies le quatrième suspect : le dottore Dellaporta. Lui aussi aurait pu perdre le message codé : il était au cours d'informatique, et il m'a aidée à faire mes cartons.
– Mais... il a été victime d'une tentative de... d'empoisonnement, comme moi !
– Et alors ? Il a pu verser la substance contenant le virus dans ses lasagnes pour brouiller les pistes. J'ai peut-être eu tort de lui faire confiance.

La directrice sortit les fiches des trois élèves et du professeur.
– Bien. Maintenant, il faut éplucher ça !
– J'ai déjà ma petite idée, fit Anita.

Tourne la page pour aider Anita à trouver le traître.

UN TRAÎTRE CHEZ LES ESPIONS

Voici la liste de tout ce qu'Anita sait sur le traître.

Écris ci-dessous les indices trouvés au fil des chapitres précédents :

En lisant attentivement les fiches des quatre suspects, démasque le coupable !

Indice 1 : chaussures du suspect :

Indice 2 : l'endroit où il a enlevé son micro :

Indice 3 : code choisi pour sa bombe (certainement un code en rapport avec ses données personnelles) :

5922GH 75

: Kreher
e des baskets
à : Berlin
: 7 janvier 1983.
lle : 1,57 cm
oids : 62 kilos
hambre : B escalier C
éléphone : 5688
Véhicule : aucun

Chris Boyle
Porte des chaussures
de ville.
Né à : Londres
Le : 12 novembre 1984.
Taille : 1,94 m
Poids : 91 kilos
Chambre : C escalier A
Téléphone : 8371
Véhicule :
Austin, immatriculée
1487 NY 57

amon Chavez
rte des baskets
à : Madrid
: 1er janvier 1985.
lle : 1,79 m
ds : 75 kilos
mbre : A escalier B
phone : 5299
cule : Seat,
atriculée 5922 GH 75

Carlo Dellaporta
Porte des baskets
Né à : Rome
Le : 7 octobre 1953
Taille : 1,78 m
Poids : 76 kilos
Chambre : B, escalier
Téléphone : 5269
Véhicule :
Fiat, immatriculée
1738CB75

– Je crois savoir qui est le coupable, déclara Anita. J'ai peu d'indices. Heureusement, le traître en a livré un : le code de sa bombe. 57BC8371 : cela pourrait être le numéro de la voiture de Chris Boyle, ses initiales et son numéro de téléphone. Ou encore la taille d'Helke, sa date de naissance et son code de chambre. Ou peut-être... le numéro d'immatriculation du professeur Dellaporta à l'envers ! En tout cas, cela n'a aucun rapport avec Ramón Chavez. Nous pouvons l'éliminer.

– Nous avons donc trois suspects !

– Oui. Mais le traître porte des baskets. Cela permet d'éliminer Chris, qui n'en met jamais. Et le coupable a enlevé son micro dans les toilettes... pour hommes. Ce n'est donc pas une femme : je peux retirer de la liste ma copine Helke... Il ne reste que le professeur Dellaporta !

– Vous avez raison, Anita. Allons appeler la police.

Épilogue

Plus de cinq mois après l'affaire d'espionnage qui avait secoué la routine de l'école, les élèves s'apprêtaient à fêter la fin de leurs études. La salle de réception de l'UCIFER avait été spécialement aménagée pour la remise des diplômes. Helke Kreher se tenait au premier rang : la jeune femme avait raflé les meilleures notes, et finissait première, sauf dans les matières « action », où Chris Boyle la devançait. Après avoir félicité ces deux élèves, Hélène Richelieu sortit de sa poche les notes de son discours :

– Mes amis, cette année a été très spéciale. Elle a vu une attaque sans précédent contre notre établissement. Je suis aujourd'hui en mesure de vous révéler que le coupable, qui se cachait au sein même de notre équipe, était payé par une école concurrente qui voulait nuire à notre réputation. Heureusement, nous avions la chance d'avoir parmi nos élèves une étudiante dont les talents exceptionnels ont eu raison de cette menace. J'ai nommé Anita Ka ! Anita, venez recevoir votre prix d'honneur.

Hélène Richelieu parcourut l'assistance du regard, à la recherche de la jeune fille. Du fond de la salle, la voix de Ramón Chavez s'éleva soudain :

– Heu... Anita n'a pas pu venir. Elle est au lit, je crois qu'elle a attrapé une grippe carabinée du cerveau !